悠悠长假

③ 抉择时刻

［法］米歇尔·莱迪耶
(Michel Leydier) ◎ 著

［法］埃米尔·布拉沃
(Emile Bravo) ◎ 绘

水冰 ◎ 译

北京科学技术出版社
100层童书馆

故事中的
主人公

克洛蒂

漂亮又顽皮，
口齿伶俐。

欧内斯特

温柔又活泼，
比自己想象得更加
勇敢机智。

小泥巴

外公为克洛蒂买的宠物小猪。

妈妈露西

勇敢又坚强，
正在与病魔抗争。

爸爸罗伯特

善良又热情，
总能化险为夷。

外公帕皮卢

有点儿粗鲁，
心直口快，
但对孙辈们特别关爱。

外婆玛米丽

很有原则，
对孩子们很温柔，
总是替他们说话。

加斯顿·莫尔托
马赛隆·莫尔托

虽然有点儿调皮，
但都不是坏孩子。

费尔南德·格贝尔

阿尔萨斯人，
为躲避德国军队的迫害，
刚刚来到诺曼底。

铃兰

勇敢、野性十足，
成熟得让人吃惊。

吉恩

镇长的儿子，
欧内斯特在格朗维尔的
第一个朋友，很有教养，
又很幽默。

自开战以来，欧内斯特和克洛蒂一直住在外公外婆家。爸爸去前线打仗了，而妈妈在瑞士的疗养院治疗肺结核。但幸运的是，他们遇到了吉恩、铃兰、费尔南德……几个孩子一起组成了"鲁滨逊小队"。

征收食物

　　德军占领法国初期，政府实行了严格的食物分配制度，人们只能凭配给票购买限量的食物。1940年至1941年冬季，物资短缺更严重了，食物供应不足，人们只能勉强糊口。不过对欧内斯特和克洛蒂来说，在乡村的生活状况总比在城市里要好得多。

　　寒冬刚过，外婆玛米丽、外公帕皮卢就和兄妹两一起在菜园里干起了活：外公拿着铲子翻松土地；外婆挖坑栽苗；欧内斯特用手指在土里戳小洞，再小心地把种子放进去；克洛蒂则负责从井里打水、浇地。今年菜园里的收成格外重要，所以大家都干

得特别认真。

　　繁重的劳作压得外婆喘不过气。她为了让孩子们吃饱，自己默默地忍饥挨饿，毫无怨言。那天她正弯腰侍弄菊芋，突然眼前一黑，晕倒了。外公赶紧冲过去把她搀扶起来。

　　"快进屋去吧，玛米丽，你今天够累的了。"

　　在两个孩子担忧的目光中，外公扶着外婆往屋里走，还没跨过门槛，就听见远处响起了巴蒂斯特丁零零的自行车铃声。这位年轻的邮递员带来了一封大家都特别期待的信，全家人赶紧围坐在厨房的桌子旁边。外公小心翼翼地拆开信封，上面赫然写着几个大字：战俘管理处。他念道：

亲爱的孩子们：

希望你们能收到这封从战俘营寄出的信。你们应该明白了，对我来说战争已经结束了。别担心，我身体很好，希望你们也平安。现在我每天的主要工作，就是在营地附近干点儿农活……

兄妹俩和外婆都沉默地听着。巴蒂斯特盯着面前的玻璃杯，一脸凝重。外公刚念完信，就急忙补充道：

"信封上有罗伯特在战俘营的地址，我们可以给他回信。"

"可是，外公，爸爸什么时候才能回家？"克洛蒂问道。

"等战争结束的时候。"欧内斯特说。

"战争不是已经结束了吗？"克洛蒂眼眶红红的，转头看向外公，"不是吗？"

外公和外婆对望了一眼，眼神里满是忧愁。该怎么跟孩子们说呢？还是先安慰他们一下吧。

"你们很快就会见到爸爸了！外公向你们保证！"外公强作欢颜地说道，"但我们要耐心等等。眼下，要是你们能给爸爸写封回信，他肯定会很开心的。"

"对，我们还可以给他寄一包吃的。"外婆附和着。

"太棒了！"克洛蒂重展笑颜，说道，"我要在里面放好多好吃的！可以让我来写信吗，欧内斯特？"

这时，一阵卡车的轰鸣声传来，打断了他们的谈话。原来是住在珍妮家的德国士兵汉斯来了。一家人从屋子里走出来，看到汉斯贪婪的目光扫过菜园、兔笼，最后落在肥嘟嘟的小泥巴身上。

"征收食物！"汉斯大声嚷道。

"不是才征收过吗？"外公抗议道，"我们自己都快没吃的了！"

汉斯对这番抗议充耳不闻，径直走向兔笼，抓了两只兔子塞进了麻袋。

"那是我们的！"克洛蒂喊道。

汉斯狞笑道：

"我有权征收！这是规定！"

说罢，他又死死地盯住了小泥巴。

"不错，不错！[1]这只猪长得真好！"

---

1 原文为德语。

这句话透着威胁的意味。他大笑起来，得意地回到了卡车上。

"下回见吧！"[1] 汉斯抛下一句刺耳的话，扬长而去。

等他一走，克洛蒂立刻扑上去抱住了小泥巴。

"他怎么能说这种话？"

外婆走到克洛蒂身边，向她伸出手，说："来吧，克洛蒂，咱们还得给菜地浇水呢。"

---

1 原文为德语。

外公气得大骂德军的强制征收政策，过了好一会儿，才稍稍平复了心情。

"欧内斯特，来帮我把马铃薯和其他食物藏到安全的地方，咱们得开始囤粮食了。"外公说道。

欧内斯特和外公一样，对刚刚发生的事情感到愤愤不平，立马跟了上去。

2

外公的怀表

克洛蒂趴在厨房的桌子上，认真地给爸爸写信。

"亲爱的爸爸，我们在外公外婆家一切都好。我和哥哥搭了一座漂亮的小屋。在这里我们结交了许多好朋友，组成了'鲁滨逊小队'，每天都玩得很开心……"

外婆轻轻走到她身边，递给她一块面包，说："快吃点儿东西吧，我的小克洛蒂。"

小女孩美美地咬了一大口，突然想起来什么似的问：

"外婆，你吃了吗？"

"我已经吃过啦！"外婆笑着撒了个小谎。

"对了，看看我给爸爸准备了什么！"

克洛蒂兴奋地打开了放在桌子上的纸箱。里面装着一些食物，有几颗红红的苹果，两三种蔬菜，还有新鲜的浆果。

外婆看到这些，露出了微笑。

"可是，新鲜的蔬菜水果不能邮寄哟！路上时间太长，寄到就已经坏了。"

这时，欧内斯特拎着篮子走了进来。

"正好你哥哥要去蒂西耶那儿换一些储备粮。"

外婆叮嘱道，"你跟他一起去，说不定能换到巧克力呢。"

一听到巧克力，克洛蒂眼睛一亮，拉着哥哥就往外跑。

路上，他们遇到了铃兰。当她知道兄妹俩要去干什么后，嫌恶地撇了撇嘴。

"你们居然要去蒂西耶杂货店？蒂西耶就是个奸商！"

不过铃兰闲着也是闲着，便也跟着一起去了。

蒂西耶在欧内斯特的篮子里挑挑拣拣，最后只拿出一只死兔子和一捆胡萝卜。他拉下脸来，随手从收银抽屉里抓出一张钞票和几枚硬币扔了过去。

"就这么点儿吗？"欧内斯特很惊讶，"比上次还少？"

杂货店老板板着脸，狠狠地瞪了他一眼。

"你觉得呢，小家伙？现在在打仗啊！天天都有人给我送来兔子和胡萝卜。我要这些干什么？留着收藏吗？"

　　说着，蒂西耶指向店里的一个角落，那里确实挂着几只死兔子。

　　"才不是呢。你们每个星期五都会把这些东西以市场价五倍、十倍的高价卖给城里人！"铃兰突然跳出来，反驳道。

　　"胡说八道。你这小姑娘真没礼貌！"蒂西耶恼羞成怒地说，"我们蒂西耶家做的是正经买卖！你给我出去！"

　　铃兰二话不说，砰地摔门而去。

蒂西耶怒气冲冲地转向兄妹俩：

"你们怎么还不走？还要什么？"

"我们要巧克力或者咖啡！"克洛蒂回答道，"是寄给我爸爸的，他被关在战俘营……"

"这些东西现在可不好找啊！"蒂西耶装腔作势地说，"而且价格贵着呢，就你们这点儿钱，根本买不起！"

兄妹俩沮丧极了，垂头丧气地正要离开杂货店，蒂西耶却突然换了副腔调：

"除非……克洛蒂，你那只猪怎么样了？它现在肯定很重了吧，能有不少肉呢。拿它来交换，要什么我都可以给你，你再寄到战俘营，给你那可怜的爸爸。怎么样？"

克洛蒂的脸上露出愤怒的表情。

"你们想吃小泥巴？绝不可能！"

她气呼呼地拽着哥哥冲出杂货店，回到了在隔壁咖啡馆等他们的外公身边。

欧内斯特把蒂西耶给他们的钱递给外公：

“就换到这么多。”

“而且蒂西耶还想吃小泥巴！”克洛蒂委屈地补充道。

“别担心！”外公安慰他们，“没人能动小泥巴一根毫毛。”

这时，靠在吧台上的巴蒂斯特喝了一口咖啡，然后立刻吐了出来。

“呸！这是洗碗水吗？真难喝！”

“嘿！我又不是魔术师，我只能有什么就做什

么！"蒂西耶夫人怒气冲冲地回道，"从今往后，咖啡就用菊苣根代替，爱喝不喝！"

"那我们的包裹怎么办？"克洛蒂担忧地看向外公。

外公沉默片刻，缓缓掏出贴身的怀表，紧紧攥在手里，沉着脸站起身来。

"孩子们，你们在这里等我。我去想办法。"

3

藏匿小泥巴

　　鲁滨逊小队的成员们聚集在森林里的秘密基地，欧内斯特说起德国士兵汉斯来家里的事。

　　"他连德国佬下发的征收文件都没有，就直接抓走了我们的兔子。"

　　"什么？"吉恩惊讶地问道，"这不合规！他们征收东西时，应该给收据的，你可以拿着收据去领赔偿金。我在家里每天都能看到有人来领，所以我知道。"

　　加斯顿如今也加入了鲁滨逊小队，他也对汉斯的行为气愤不已。

"他也抢了我们很多东西！而且只要奥托不在，他就开着卡车到各个农场挨家挨户地搜刮。我真想知道他拿那么多食物做什么。"

"他还盯着小泥巴说'这只猪长得真好'呢！"克洛蒂想起了那一幕。

"我们得把小泥巴藏起来。"铃兰果断提议，"就在这里给它盖个小猪圈吧。"

大家都赞同她的主意，然后各自回家了。

外婆依然饿着肚子在厨房里做家务，做着做着就又一次突然晕倒了。外公急忙将她扶起来，然后让两个孩子先到外面去。

"孩子们，我有事要跟你们的外婆说。"

兄妹俩听话地出去了。然而一到门外，欧内斯特就把耳朵贴在了门上，想听听外公外婆在说什么。

"玛米丽，你不能再这样下去了，不吃东西怎么撑得住。"他听到外公着急地说。

"我知道，但不能让孩子们挨饿啊。"外婆的声

音虚弱却坚定，"让他们吃饱饭，比什么都重要。"

"别担心！我在蒂西耶那儿买了些东西，够我们吃的，也够给罗伯特寄过去的。"

外公说着把带回来的食物放在了桌子上。

"勒内，你哪儿来的钱？你不会把小泥巴卖掉了吧？"

"当然没有，放心吧！我用一只兔子和一件旧东西跟他换的。"

欧内斯特带着难过又懊恼的神情看向妹妹：

"外公肯定是把怀表给了蒂西耶，才换来这些食物的。"

第二天，鲁滨逊小队的成员们开始为小泥巴建造猪圈。吉恩想用锤子把一根木桩打进地里，结果不小心弄伤了手指。

"你怎么笨手笨脚的！难道你以前没用过锤子？"铃兰忍不住嘲笑他。

吉恩揉着手指，铃兰凑过来查看他的伤口。就在此时，欧内斯特和克洛蒂牵着小泥巴走了过来。

"猪圈建得怎么样了？"欧内斯特问道。

铃兰没有回答，一脸高兴地说道：

"欧内斯特！你一定猜不到谁来了！"

话音刚落，费尔南德抱着一捆木柴出现了。

"是费尔南德！"欧内斯特惊喜地喊道。

"你好，欧内斯特！再见到你真是太高兴了！"

"这段时间你去哪儿了？快说说！"

于是费尔南德向兄妹俩讲述了他和奶奶想回阿

尔萨斯跟家人团聚，却发现德国人已经占领了那里的事。阿尔萨斯不再属于法国，现在已经是德国的领土了。

"所以，我们去了克勒芒的叔叔家。但是他惹上了一些麻烦，不能收留我们。我们只能匆忙离开，又回到了格朗维尔。"

他说完这些，又从口袋里掏出一份报纸：

"你们看到了吗？德国空军还在轰炸英国。"

确实，此时此刻，英吉利海峡对岸的闪电战[1]正打得激烈。连续几个月来，德国空军每晚都会空袭伦敦、伯明翰、利物浦等英国主要城市。英国皇家空军也在拼尽全力抵抗着。

这时，加斯顿气喘吁吁地跑来了。

"嘿，伙伴们！我刚刚看到汉斯把一些东西藏在了他的卡车里。妈妈和皮埃尔说他在做黑市交易。"

众人面面相觑，气氛瞬间紧张起来。

---

1 这里特指第二次世界大战期间英国和德国之间的军事对抗。

　　"这是个好机会！"吉恩说道，"要不要去抓他个现行？"

　　"去哪里？汉斯是谁？"费尔南德问道。他不知道之前发生的那些事情。

　　"走吧，我们边走边说。"

　　四个男孩小跑着离开了。

　　克洛蒂和小泥巴留在原地，陪着铃兰继续搭建猪圈。

4

卡车冒险

欧内斯特、吉恩、费尔南德和加斯顿四个男孩悄悄溜进莫尔托家的农场，藏在院子的一个角落里。据加斯顿说，现在只有奥托一个人在屋里。卡车就停在离他们几米远的地方。他们得爬进卡车车厢去检查里面的东西。男孩们的心跳不由自主地加快了，这可是要冒天大的风险啊！

"加斯顿，你确定汉斯真的不在吗？"吉恩紧张地低声问道。

"我都说多少遍了，他不在！"加斯顿嘟囔着说道，对自己的话被怀疑而感到生气。

"别磨蹭了，走吧！"费尔南德一声令下，几人像突击队员一样，从藏身之处猛冲出来，直奔卡车车厢。

"加斯顿，你留在这儿放哨！"欧内斯特命令道，"要是有人来，你就吹口哨！我们三个上去检查车厢。"

费尔南德、吉恩和欧内斯特一个接一个地钻进了卡车的篷布里。加斯顿独自留在车外，害怕得直发抖。他们谁都没有注意到，马赛隆在屋里目睹了他们的行动。

车厢里漆黑一片，三个男孩摸索着四处翻找。虽然这里有很多麻袋、箱子和纸盒，但检查之后，除了一篮土豆，他们没有发现任何可疑的东西。

卡车外面，加斯顿突然看到汉斯肩上扛着一个袋子径直朝卡车走来。

"这下完了！他怎么会在这里？"加斯顿吓得脸唰的一下白了。

他立即把两根手指放在嘴边吹口哨，但是因为太害怕了，没能吹出任何声音。

车厢里，三个男孩正感到十分困惑。

"他究竟把抢来的食物藏在哪儿了？"欧内斯特问道。

突然，卡车发动了。

"看来我们很快就能知道了。"费尔南德恰到好处地回答。

卡车猛地往后倒，三个男孩失去了平衡，摔

倒在车厢里。车子扬长而去，只留下惊慌失措的加斯顿。

"糟了！"他叫道，然后哭了起来。大家把放哨的任务交给他，可他搞砸了。

就在这时，马赛隆骑着自行车冲了出来。

"等我告发你们的小把戏，看那些德国佬怎么收拾你们！"他嚷嚷着，骑车追卡车去了。

车厢里，男孩们被颠得东倒西歪。吉恩害怕得直发抖，欧内斯特和费尔南德则透过篷布上的破洞观察着卡车的行进路线。卡车穿过村子后，朝着一片树林开去，最后在一条小路上停了下来。

　　三个男孩趁机从车厢里跳出来，藏在一丛灌木后面。在那儿，他们看到汉斯下车走了几步，警惕地环顾四周，确保周围没人后，掀起一块盖着树枝的铁皮——那里竟然有一个地窖！地窖里面放着一个大木箱，他打开箱子，拿出一些用纸包着的食物：香肠、糖、咖啡……在男孩们惊愕目光的注视下，他把这些食物塞进一个大麻袋里，回到了驾驶座上。

　　"现在就看他把货卖给谁了……"费尔南德低声

说道。

话音未落，他突然冲向卡车，利落地翻身进了车厢。

伙伴们呆立在原地，甚至没反应过来要跟上。当卡车掉头时，费尔南德掀起篷布，向他们竖起大拇指，好像在说："别担心，朋友们！"

欧内斯特和吉恩从藏身之处出来，朝村子走去。

"费尔南德胆子可真大！"欧内斯特感叹道，"希望他别出什么事。"

"我刚才也差点儿就追上去了。"吉恩夸口道。

突然，欧内斯特发现他们被人跟踪了。

"别回头，马赛隆在跟踪我们。"他低声说，"继续走，表现得自然一点儿。我们给他点儿颜色看看，看他以后还敢不敢跟踪我们。"

然后他故意提高嗓门，用确保马赛隆能够听到的声音说道：

"我们现在什么都知道了！汉斯把他抢来的食物就藏在这里。"

"然后他再去灯塔那里把东西卖给他的同伙！"吉恩默契地接着欧内斯特的话说道。其实他们俩心知肚明，德国人禁止任何人靠近灯塔。

"一定要小心，吉恩！这是我们的秘密！"

"我发誓，绝对保密！"

他们击掌为誓，然后继续若无其事地走着，心里暗笑愚蠢的马赛隆中了圈套，迟早会去禁区打探，到时候就有好戏看了。

5

黑市交易

当欧内斯特和吉恩回到鲁滨逊小队的秘密基地时，所有小伙伴都在等着他们，包括同样刚刚回来的费尔南德。加斯顿看到他们三个平安归来，总算松了一口气，庆幸他的失误没酿成大祸。

"你居然比我们还快？"欧内斯特笑盈盈地打量着费尔南德。

"任务完成！"

"怎么回事？快说说！"

费尔南德眉飞色舞地讲起他的冒险，还添油加醋地描述了许多细节。原来卡车开出了好几千米，最后停在村边的一条小路上。几分钟后，一个男人骑着自行车过来，用钱换走了汉斯手里的食物。

"是谁？"吉恩急不可耐地问。

"我在车上没看清脸，就跳下车躲在路边看。"

"然后呢？"欧内斯特追问。

"是蒂西耶！"

"蒂西耶！"鲁滨逊小队的成员们齐声惊呼道。

"没错！这两个坏蛋赚得盆满钵满！"

得知村里有人参与了黑市交易，大家都感到很愤怒。

"我们该怎么办呢？"欧内斯特问道。

"要不要告诉奥托？"加斯顿提议，"他人挺好的。"

"不行，他毕竟是德国人，"费尔南德反驳道，"他不会管这件事的。"

"我们可以和你妈妈说，加斯顿，"欧内斯特建议道，"珍妮阿姨会知道该怎么做的。"

大家都赞同这个主意。一刻钟后，他们把事

情的来龙去脉告诉了珍妮，她简直不敢相信自己的耳朵。

"你们确定自己说的是真的吗？这可不是闹着玩的！"

"费尔南德亲眼看到的。"欧内斯特证实道。

珍妮一下子垮了下来。

"我现在该怎么办？我刚刚还得知马赛隆因为去灯塔一带被德国人关起来了，麻烦事真是一件接着一件！"

　　她深深地叹了口气，满脸沮丧。吉恩和欧内斯特心领神会地交换了一个眼神。

　　就在这时，奥托扛着枪，懒洋洋地走进了农场的院子。

　　珍妮鼓起勇气，迎了上去，把刚得知的事情一五一十地说了出来。奥托听后，看起来十分生气。

　　过了一会儿，汉斯回来了，奥托把他拉到一边狠狠地训了一顿。汉斯甚至没有试图为自己辩解。

"现在，你知道该怎么做了！我再也帮不了你了！"[1]奥托气愤地训斥道。

紧接着，奥托和孩子们一起去了村里的杂货店。

"您想要点儿什么，亲爱的先生？"蒂西耶毕恭毕敬地问道。

奥托直视着他的眼睛。

"我们来谈谈你和汉斯之间的勾当。我什么都知道了！"

蒂西耶的脸色唰地变了。

"不说的话，我就要上报冯·克里格上校了！"奥托接着说道。

"啊？我……这……"蒂西耶结结巴巴地说，"不……这点儿小事就不用劳烦上校了，您说是吧？"

这次，蒂西耶像只无处可逃的老鼠一样被彻底拿捏了。他和汉斯不得不将赃物物归原主。为了逃避军事法庭的审判，汉斯被迫申请调职，最后被发

---

1 原文为德语。

配到了东欧战场。

　　欧内斯特心怀愧疚，请奥托向上级求情，释放马赛隆。奥托欣然答应了。马赛隆因为在禁区游荡，已经被德国人罚着擦了好几个小时的靴子。

　　一被放出来，马赛隆就挥着拳头前去报仇，和欧内斯特扭打在一起。吉恩极力向他解释这不过是个恶作剧。马赛隆这才知道，原来是欧内斯特为他求情，他才能被释放的。一时间，他想起了过去自

己是怎么对待欧内斯特的，不由得有点儿羞愧；再想到加斯顿也早就跟他们玩到一起了，自己再端着架子反倒显得幼稚可笑，不如趁着这个机会握手言和。于是，他向欧内斯特伸出了手，欧内斯特也欣然接受了这个新伙伴。

从那以后，马赛隆也加入了鲁滨逊小队。

晚上，欧内斯特和克洛蒂一起打包好寄给爸爸的包裹，并附上一封信。然后，欧内斯特把手伸到外公面前，摊开了手掌。

"我的怀表！"外公惊呼，眼里闪烁起光芒，"你真是个了不起的孩子。你是怎么把它拿回来的？"

欧内斯特讲述了他和鲁滨逊小队如何发现并揭露了蒂西耶和汉斯之间的黑市交易，以及他从蒂西耶那里把怀表要回来的过程。

就在这次冒险结束后不久，鲁滨逊小队的成员们在一天早上来到秘密基地时，发现猪圈的围栏门被小泥巴拱开了。倒霉的小泥巴离开猪圈时，正巧碰上了要出发去东欧的汉斯。他正愁没机会报复这些孩子，于是抓走了小泥巴。和战时所有猪的命运一样，小泥巴最终成了不知谁的盘中餐。克洛蒂等了又等，找了又找，哭了好几个星期。

6

秘密基地的不速之客

时光飞逝……

1941年9月，法国最重要的盟友英国轰炸了诺曼底的德军阵地。一天夜里，英国皇家空军的飞机又袭击了格朗维尔附近的德军。德军的防空部队进行了猛烈的反击，震耳欲聋的爆炸声使欧内斯特和克洛蒂从梦中惊醒。他们急忙跑到窗前，拉开窗帘，看到了令人恐惧的一幕：一架燃烧的飞机划过漆黑的天幕，掠过屋顶，如利箭般向大海坠落。

克洛蒂惊恐万分，紧紧地依偎在哥哥的怀里。欧内斯特张大了嘴，目光紧追那架坠落的飞机。紧

接着，可怕的撞击声响彻夜空，地平线上燃起了一团熊熊烈火。在黑暗中，他们都没注意到，一顶降落伞缓缓地降落在了不远处的树林里。

第二天，欧内斯特、吉恩和费尔南德在村子里散步时，聊起了昨天晚上发生的事情。每个人都讲述了自己的所见所闻。

一张刚被德国人贴在广场的公告引起了他们的注意。他们走近一看，上面写着法国"恐怖分子"被德军处决的事。

"这可不是闹着玩的！"欧内斯特感叹道。

"恐怖分子？说什么呢！"费尔南德愤怒地说，"那是爱国分子！该死的德国佬！"

他正要去撕公告，欧内斯特拉住了他的胳膊——一支德国巡逻队正朝他们这边走来。孩子们只好假装若无其事地继续往前走。

不远处的蒂西耶咖啡馆里，几个常客正在聊天，有巴蒂斯特，还有村里的牧师、赫平老师、杜兰德，以及其他许多人。欧内斯特的外公帕皮卢和克洛蒂也在。大家都在讨论着英国的空袭和那架被德军击落的飞机。

"朗德兰说他看到飞机坠海了。"巴蒂斯特说，"照他说的，那个英国飞行员早就喂鱼了！"

"朗德兰啊，就爱胡编乱造。"蒂西耶夫人嘲笑道，然后喝了一口红酒。

靠在吧台上的杜兰德说：

"我总觉得那个英国人还在这附近……就好像德国人光顾着抓恐怖分子还不够忙似的！"

赫平老师看向他：

"说真的，杜兰德，听起来你还挺乐意让德国人在这儿待着呢！"

杜兰德没有回答，又自顾自地喝起酒来。

克洛蒂正竖着耳朵听大人们说话，突然瞥见哥哥和朋友们经过咖啡馆。

"我能去跟他们一起玩吗，外公？"

"去吧，乖孩子！"

她小跑着追上了男孩们。

"嘿，欧内斯特！咖啡馆里的人在讨论昨晚坠毁的英国飞机。说不定飞行员还藏在这附近呢。"

"什么？他难道活下来了？我真不敢相信。"

"你们这是要去哪儿？"

"秘密基地。"

"最后一个到的人是只会吃法兰克福香肠的笨蛋[1]！"吉恩边喊边撒腿就跑。

另外两个男孩紧随其后。他们跑得快极了，比克洛蒂提前好久跑到了秘密基地附近。令他们意外的是，莫尔托兄弟和铃兰早就在那儿了，不过没有在小屋里面，而是在屋外的灌木丛里聚着。看到三个男孩来了，他们便凑过来压低声音说道："我们发现有人躲在秘密基地了，加斯顿亲眼看见的！"

"确定吗？"欧内斯特问。

"千真万确！那人就躺在树下的草垫上！"

"是敌是友？"费尔南德问道，"不会是德国佬吧？"

---

1 法兰克福香肠是德国饮食文化的标志性符号。在第二次世界大战时期的法国沦陷区，当地人用"只会吃法兰克福香肠的笨蛋"来指代侵略者，暗含了对侵略者的蔑视和愤恨。

加斯顿露出迷茫的神情。

"呃，我也不知道……"

欧内斯特忘了妹妹还在后面。克洛蒂兴奋地直接冲向了小屋，没注意到藏在灌木丛里的朋友们。欧内斯特想喊住她，但已经来不及了。

只见她举起双臂走进小屋，得意扬扬地喊道：

"你们这些吃香肠的家伙，我赢啦！"

接着她环顾四周，一下子愣住了——一个穿着军装的男人正靠在墙上，用手枪指着她！

看到她只是个孩子，男人放下了枪，然后把手指放在嘴边，轻轻"嘘"了一声。

鲁滨逊小队的其他成员这时都跑了过来，观察着这个不速之客。

"你就是那个英国人？"欧内斯特问道。

男人艰难地回答道：

"我是一名飞行员……道格拉斯中尉……我的飞机昨晚坠毁了。"[1]

他每动一下，脸上就露出痛苦的表情。

"他好像受伤了。"

铃兰说，然后跪在他旁边。飞行员明白了她的意思，掀开了衬衫的一角。

"你伤得够严重的。"

---

1 原文为英语。

7

假期奇遇

鲁滨逊小队的成员们无须商量就达成了默契。英国和法国是盟友，他们自然要帮助这位英国飞行员。

"我能给他治伤。"铃兰说，"不过，他的双脚也受伤了，暂时走不了路。"

"在他康复之前，我们就把他藏在这儿吧。"欧内斯特提议，"德国佬肯定找不到他。"

所有人都对这个提议感到兴奋。

"但这件事我们必须守口如瓶！明白了吗？"费尔南德提醒道，"以鲁滨逊小队的名义起誓！"

"以鲁滨逊小队的名义起誓！"其他孩子齐声应和。

接着，他们开始分工。从那以后，孩子们把所有的空闲时间都投入了这项任务中。

为了治好道格拉斯中尉的伤，铃兰负责寻找药膏和消毒液；克洛蒂贡献了一件已经穿不下的白色连衣裙，用来制作包扎用的绷带；马赛隆悄悄溜进家里的鸡舍拿了些鸡蛋，还顺了些蔬菜；吉恩、欧内斯特和费尔南德则去池塘抓青蛙当补给；至于加斯顿，他被委以重任——在高高的观察哨上放哨的同时，还要照看伤员。他对自己的工作可是尽职尽责。

大家都很关心道格拉斯中尉。铃兰的药膏很有效果。不出几日，他的气色便恢复了不少。鲁滨逊小队的成员们经常陪在他身边，尽他们所能和他交流。这位英国伤兵总是面带微笑，对孩子们心怀感激。吉恩还带来了一本厚厚的英法词典，方便大家沟通。

可惜，暑假结束了，第二天就要开学，孩子们

一想到以后不能经常来照顾道格拉斯了，都感到有些难过。

这天，当孩子们聚在秘密基地时，飞行员说想给他们看样东西。他从背包里掏出一沓法语宣传单，说这是飞机坠毁那晚，他原本要在诺曼底空投的。说完，他把宣传单递给欧内斯特，欧内斯特好奇地看了起来。

"上面写了什么？"吉恩不安地问道。

"大致意思是，我们必须想尽一切办法坚持抵抗，德国人在撒谎，他们就快扛不住了！"

这个好消息让大家脸上又露出了笑容。

欧内斯特和克洛蒂回到家，一个大惊喜在等着他们——妈妈寄来了包裹！他们迫不及待地拆开，里面是妈妈亲手织的羊毛衫和围巾。兄妹俩高兴极了，抢着读妈妈的信，差点儿争执起来。最后，欧内斯特把这个机会让给了妹妹。

我亲爱的小宝贝们：

希望你们都身体健康，乖乖听外公外婆的话。妈妈被照顾得很好，身体也一天比一天好。真希望能在新学期第一天陪你们去上学。不过别担心，相信我们很快就能和爸爸团聚了。到那时，这些艰难的日子就会像一场噩梦一样过去。

爱你们的妈妈

读完信后，屋里一片静默。外婆悄悄抹起眼泪。欧内斯特轻轻搂住妹妹的肩膀，两人心里都暖烘烘、酸溜溜的。

那天晚上，在兄妹俩的房间里，欧内斯特望着窗外的星星发呆，克洛蒂则心不在焉地翻着一本图画书。

"哥哥，你觉得妈妈住的瑞士也会打仗吗？"她突然问道。

"怎么可能！德国人才不在乎瑞士。他们盯着的是英国。"欧内斯特肯定地说。

"英国在哪儿呀？那个飞行员的家乡离这儿远吗？"

欧内斯特指了指窗外的大海，若有所思地说："不远，就在海对面。"说完，他好像透过黑暗，看见了大海另一边的样子。

8

指挥所的一晚

　　这已经是欧内斯特和克洛蒂在格朗维尔的公立学校上学的第三个年头了。曾经熟悉的巴黎和城市生活，于他们而言已恍如隔世。

　　和其他鲁滨逊小队的成员一样，他们很担心英国飞行员的安危。每到课间休息，他们就会避开其他同学，聚在一起悄悄谈论这件事。这些举动自然逃不过赫平老师的眼睛。这天放学铃声响后，赫平老师特意在院子里叫住了加斯顿，想了解些情况。

　　"加斯顿！你们最近在玩什么游戏？好像很有趣啊！"

加斯顿的脸一下子红了，就像做了错事被逮个正着一样。他紧张得说话都结巴起来：

"没有……没玩什么游戏，老师！我们……什么都没干！"

说完他就跑开了。他这副慌张的样子，让赫平老师更加确信鲁滨逊小队有什么事情瞒着他。

放学后，孩子们照例去看望道格拉斯中尉。他的身体已经慢慢恢复了。

当欧内斯特和克洛蒂回到家时，外婆心急如焚地说：

"你们两个跑哪儿去了？我都快急死了！"

"我们这不是回来了吗？"欧内斯特一头雾水，不明白外婆为什么发这么大火。

"我当然看到你们回来了，你们实在太淘气了！"

说着，外婆一把将兄妹俩搂进怀里，忍不住哭了起来。

"外婆，到底怎么了？"克洛蒂问。

"德国人把外公抓走了。"外婆哽咽着说。

"外公被抓走了？！抓去哪儿了？"欧内斯特惊慌地问。

"抓去指挥所了！"

显然，德国人没有向外婆做出任何解释，这让她更担心了。

这天的晚餐是爸爸妈妈离开后最让人难受的一顿。外婆忧心如焚。欧内斯特和克洛蒂上床睡觉后，她一个人留在厨房里黯然神伤。

夜里，克洛蒂突然醒了。想到外公被抓走了，她心里空落落的，翻来覆去地再也睡不着了。于是她踮着脚走出房间，轻轻走下楼，这才发现外婆还坐在厨房的桌子旁，头埋在胳膊里，肩膀一抽一抽地哭着。听到地板嘎吱作响，外婆抬起了头。

"宝贝，你这么晚起来干什么？"

克洛蒂一下子扑进外婆怀里，两个人紧紧抱在一起，眼泪止不住地往下掉。

等克洛蒂的情绪稍微平复一些后，外婆轻轻把她抱回到床上，又独自回到厨房，坐在了桌子旁。

天快亮的时候，外婆正趴在桌子上打盹儿，一只手突然搭在了她的肩膀上。她惊醒过来，回头一看，惊喜地叫出了声：

"勒内！"

外公回来了。他的眼里闪着泪花，脸上却带着笑容。他张开双臂，外婆一下子扑进他怀里，激动得浑身发抖，一句话都说不出来。

等心情平复了一些，外婆煮了壶咖啡，想听外公讲讲到底发生了什么。

"德国人在找那个英国飞行员，就是之前坠落的那架飞机的驾驶员。"

"可我们家没有英国人啊，让他们搜就是了。"

"他们怀疑有人把飞行员藏起来了，所以挨家挨户抓人审问。这是德国人惯用的施压手段。"

外公突然模仿起德国人的语气说道：

"注意！谁敢帮德国的敌人，一律枪毙！"

"可说实话，谁敢在德国士兵眼皮子底下藏一个英国飞行员呢？"外婆既惊讶又生气。

正说着，还穿着睡衣的孩子们跌跌撞撞地跑下楼梯来，兴奋地大喊：

"外公！"

外公笑着把他们抱到腿上，紧紧地搂着他们。外公的归来让兄妹俩安心了。

像往常一样，外婆为大家准备好了早餐。

"孩子们，动作快点儿！可别因为这件事上学迟到了！”

　　路上，欧内斯特和克洛蒂在经过村子里的公告板时，发现那儿贴了一张新公告。

　　“快看！”克洛蒂叫道，“他们威胁说要枪毙所有帮助‘英国恐怖分子’的人！”

　　“别怕！他们在吓唬人呢，想抓鲁滨逊小队，门儿都没有！”

9

加斯顿的礼物

吉恩跑进学校院子里和小伙伴们会合时，满脸惊慌。原来德国人也找上了他爸爸，同样为打听英国飞行员的下落。

"他们威胁说，要把党卫军[1]的一个营派到格朗维尔！"吉恩压低声音，神神秘秘地将这件事告诉鲁滨逊小队的其他成员。

"党卫军是什么呀？"克洛蒂眨着大眼睛，天真地问。

---

1 德国纳粹党的武装部队，以手段残忍而闻名。

"嘘！"吉恩紧张地制止她，"我爸爸说，那就是一群禽兽不如的家伙！而且他们还在找'雀鹰'，听说他是这一带抵抗组织的领袖。"

"雀鹰？"欧内斯特重复道，"这名字真奇怪！"

这时，赫平老师刚好路过，向他们投来探寻的目光。

等他走远了，欧内斯特皱着眉头说：

"赫平老师最近总是盯着我们。你们说，他会不会察觉到什么了？"

"我也不清楚，"吉恩忧心忡忡地回答，"但我们得小心其他所有人。"

这天早上是音乐课。一进教室，赫平老师就组织学生们唱《元帅啊，我们在此》[1]。歌词被用白色粉笔书写在黑板上：

神圣的火焰，

从故乡燃起，

---

1 一首歌颂贝当的歌曲。

沉醉的法兰西，

向您致敬，元帅！

所有爱戴您的子民，

敬仰您岁月的荣光，

在您的最高号令下，

齐声回应："我们在此！"

元帅啊，我们在此！

您是法兰西的大救星，

身为您的子民，我们在您面前发誓，

为您效力，追随您的脚步……

孩子们唱得稀稀拉拉的，不太认真。黑板上方挂着的贝当画像，仿佛一直在"看着"他们。

几千米外，在鲁滨逊小队的秘密基地里，响起了另一首歌——英国飞行员正在教加斯顿唱一首他家乡的歌。为了陪伴飞行员，加斯顿偷偷逃了课。此刻，一种温暖的默契将他们紧紧相连。

我们会再相见，

不知在何处，不知在何时，

但我知道我们会再相见，

在某个阳光灿烂的日子。

这是一首英文歌，加斯顿一个词都听不懂，只能跟着瞎唱，调子更是跑得离谱。道格拉斯中尉被逗得哈哈大笑，不过，他还是竖起大拇指夸加斯顿唱得好。接着，中尉把手伸进口袋，掏出了自己的飞行高度仪。

"这是送给你的！"[1]

加斯顿惊讶地瞪大了眼睛。他早就看上了这个宝贝，原来中尉把他的心思看得一清二楚。加斯顿欣喜若狂，赶紧把礼物塞进口袋，然后朝学校飞奔而去。要是跑得快，说不定还能在课间休息时赶回学校。

加斯顿背着书包，一边跑一边大声唱着那首英文歌：

_____

1　原文为英语。

我们会再相见，

不知在何处，不知在何时，

但我知道我们会再相见，

在某个阳光灿烂的日子。

就在他要跑进学校院子时，碰到了杜兰德。杜兰德一把抓住他的胳膊猛晃道：

"喂，你刚才唱的是什么？学校现在还教小毛孩唱英文歌了？你最好老实交代，不然……"

加斯顿吓坏了。好在目睹了这一幕的赫平老师及时出现，解救了他。

"不然怎样？你在干什么？"

杜兰德顿时没了底气，支支吾吾地说：

"嗯……没什么……"

"没什么事，对吧？我就知道。走吧，加斯顿！快上课了。"

赫平老师一边说，一边拉过加斯顿。杜兰德气

得直跺脚，但也只能眼睁睁看着赫平老师把加斯顿推进了校园。

"你最近总是旷课，加斯顿。你是不是有什么事瞒着我？"

"没……没有，老师。"加斯顿紧张得声音都在发抖。

赫平老师弯下腰，平视着加斯顿。

"听好了！不是听到了、学到了什么，就一定要说出来。管住你的嘴，明白吗？"

"明白了，老师。"加斯顿小声回答。

10

一首英文歌

那天放学后，赫平老师把吉恩、欧内斯特和费尔南德叫到了一旁。

"你们真的要当心自己的所作所为！"他严肃地说，"你们面对的是一群恶狼，光靠天真可救不了任何人。"

"我们真的没干坏事，我们发誓。"吉恩结结巴巴地说。

"我知道。"赫平老师微笑着说，"快回去吧！"

这次大家确定了，赫平老师肯定知道了点儿什么，只是没全说出来。

　　当鲁滨逊小队再次聚在一起时，他们立刻讨论了这件事。

　　"我们不能再把那个英国人留在秘密基地了。"欧内斯特皱着眉头说。

　　"没错，明天我们就让他离开。这对大家来说太危险了。"费尔南德表示赞同。

　　加斯顿是唯一一个站出来反对这个决定的人。

　　"我不想让道格拉斯中尉走！"

　　"可这样太冒险了。"铃兰试图劝他。

加斯顿听了，忍不住抽泣起来。

"我不要他走，你们听到了吗？我就是不要他走！"

他伤心欲绝地喊道。

早上杜兰德发现加斯顿唱英文歌后，立刻跑去指挥所告密。等莫尔托兄弟俩放学回到农场时，德国人正要将那里搜个底朝天。

"妈妈！发生什么事了？"加斯顿边朝母亲跑去边喊道。

"别害怕，亲爱的！他们只是在找一个英国飞行员。"妈妈安抚道。

加斯顿吓得浑身发抖，把藏在身后的飞行高度仪攥得紧紧的。可他抖得太厉害，高度仪还是掉在了地上。这动静引起了奥托的注意，他悄悄捡起高度仪，塞进了自己的口袋。

珍妮直面亲自前来搜查的冯·克里格上校，对他说：

"我再说一遍，这里没有英国人！"

"既然是这样，那么夫人，您和您的家人就没什么好担心的了！"

陪同德国搜查队一起来的杜兰德走上前，指着加斯顿说：

"就是他，上校，我今天早上听到他在叽里咕噜地唱英文歌！"

上校长久地审视着这个瑟瑟发抖的孩子，突然开口道：

"孩子，听说你会唱英文歌？唱给我听听吧。"

加斯顿吓得腿都软了，结结巴巴地唱了起来：

"我们会再相见，不知在何处……"

"……但我知道我们会再相见，在某个阳光灿烂的日子……"

没想到，冯·克里格上校接着加斯顿唱了起来，唱完还迸发出一阵哈哈大笑。

"谁都会唱这首歌，不是吗？"

他转头看向杜兰德，杜兰德蔫头耷脑的。

这时，一个德国士兵走到上校跟前。

"长官，这里没有我们要找的人！"[1]

"收队，我们浪费了太多时间。"冯·克里格上校说，"莫尔托夫人，很抱歉打扰您了。"

转眼间，所有德国士兵撤离得干干净净，只有杜兰德还没走。孩子们捡起石头扔向他，把他赶走了。

第二天，鲁滨逊小队的成员们一路上兴高采烈地唱着歌，向秘密基地进发。他们给《元帅啊，我们在此》填了新歌词：

---

1 原文为德语。

元帅啊，我们在此！

您是法兰西的臭屁王，

身为您的子民，我们在您面前发誓，

为您效力，追随您的臭屁……

可他们一到达秘密基地，欢闹声就戛然而止了——道格拉斯不见了。

加斯顿立刻哭了起来。

"别难过！"欧内斯特安慰他，"他迟早是要走的。往好处想，他的身体已经康复了。这都是咱们的功劳！"

这时费尔南德上前，对加斯顿说：

"他给你留了一张特别的字条。他一定最喜欢你了。"

加斯顿开心地一把抓过字条。可就在这时，不知哪里突然响起一声爆炸声，大家都吓了一跳。

第二天去学校时他们才知道，是克洛蒂的一个朋友小安托万在海滩上踩到了地雷，引发了爆炸。

格朗维尔的镇长，也就是吉恩的父亲，来到学校讲话。他提醒大家，海滩是极其危险的区域，严禁进入。孩子们都因这场悲剧而悲痛万分，赫平老师完全感同身受——他自己在第一次世界大战中也失去过一个好朋友，甚至连和朋友道别的机会都没有。

放学后，赫平老师又私下和鲁滨逊小队的成员们谈了话。

"别担心，你们的英国朋友没事，他现在和可靠的人在一起，很安全。他能平安脱险，多亏了你们。
我为你们感到骄傲！"

在这场战争里，鲁滨逊小队失去了朋友安托万，
也救了一个英国人。原来，这就是战争最真实的
模样。

11

黄色星星

　　1941年至1942年的冬天，法国占领区的抵抗运动此起彼伏，但每一次袭击都会招致德国士兵变本加厉的报复。和侵略者共处的日子变得越来越艰难。

　　1942年6月，抵抗组织破坏了格朗维尔附近的德军电话线。为此，外公决定把他的收音机埋进菜园里。他在深夜叫醒欧内斯特帮忙。他们拿着铲子，借着微弱的月光，在菜地旁挖坑。

　　"那些德国佬肯定会报复我们的，我们可不能让这台收音机被没收。"外公喃喃地说，"明白吗？"

　　等坑挖得差不多了，他们就用防水布把收音机

包起来，小心翼翼地放进坑里埋好。

　　"要是他们这都能找到，我甘愿变成西葫芦。"外公开玩笑说。

　　欧内斯特被逗得笑了出来。

　　"听着，孩子。"外公突然严肃起来，"其实我不该告诉你的——我听说你爸爸和其他几个人一起从战俘营逃出来了。"

　　"什么？！"欧内斯特惊讶地叫道，"你是怎么知道的？"

"这个你就别管了。"

欧内斯特心里七上八下的。

"那他现在在哪儿？"他急切地问道。

外公掀起帽子，挠了挠头。

"这我就不知道了。总之，这事谁都别告诉，尤其是你妹妹。"

回到床上，欧内斯特翻来覆去地睡不着。他满脑子都是外公刚刚告诉他的那个惊人的消息，各种情感撕扯着他：他既担心爸爸的安危，又忍不住期盼着爸爸能突然出现在他眼前，但最让他心潮澎湃的，是涌上心头的自豪感——爸爸能逃出敌人的牢笼，真是个了不起的大英雄！

那天晚上，欧内斯特并不是村里唯一失眠的人。第二天，欧内斯特和克洛蒂去学校的路上，发现村里出现了不少抵抗运动的痕迹：一辆德国军车的四个轮胎被扎破了，栅栏上还画着洛林十字[1]。

---

1 在被德国占领期间，洛林十字是自由法国的象征。

　　学校里，大家的心情看起来都很糟糕。吉恩的父亲因为电话线被破坏的事，被德国人审问了一整夜。德国人甚至怀疑他就是这一带抵抗组织的领袖"雀鹰"。

　　莫尔托家也有个坏消息要告诉朋友们：他们的大哥皮埃尔收到了去德国服劳役的通知。

　　"服劳役？"克洛蒂疑惑地问。

　　"就是去德国做苦工。"欧内斯特解释道，然后厌恶地往地上啐了一口，"我死也不会去给那些德国佬当奴隶！"

"别激动！"吉恩安抚他道，"还轮不到我们，得年满十八岁才会被征召。"

鲁滨逊小队的成员们沉默了一会儿。他们还不知道，法西斯德国及其盟国的恶行还在变本加厉。自1940年7月起，多项限制犹太人自由的法律陆续出台：犹太人开的商店和企业被关闭，外籍犹太人被赶到集中营，禁止犹太人持有收音机……一个月接着一个月，犹太人的权利不断被剥夺着，而更糟糕的还在后头。

1942年春天，一项可怕的新法令颁布了。

这天早上，班上的一个小女孩萝西来上学时，穿着一条缝着一颗黄色星星的裙子。

"嘿！格朗维尔的警长来啦！"保罗没心没肺地开着玩笑。

小女孩羞愧地低下了头。

克洛蒂走近她，指着星星问：

"萝西，这是什么呀？"

"这是犹太星。妈妈说现在我们的衣服上必须缝着这个。"

赫平老师吹了一声口哨，学生们安静地走进了教室。

一坐到座位上，克洛蒂就举起了手：

"老师，为什么萝西要戴犹太星呢？"

赫平老师看起来有些为难。不过，他还是勉强回答了这个问题，神情很凝重。

"德国人和维希政府认为犹太人不能享有和其他公民一样的权利，所以让他们必须佩戴这种星星，这样人们才能认出他们。他们不戴的话会惹上很大的麻烦……但大家要清楚，在这个教室里，所有人都是平等的！"

一阵沉默后，保罗突然开口道：

"要是有人敢找萝西的麻烦，我就揍他！"

"我也会揍扁他！"马赛隆也握紧拳头说道。

赫平老师敲了敲讲台，让大家安静下来。

"够了，孩子们！顺便问一下，今天早上有人看见费尔南德了吗？"

所有人的目光都集中在了教室后方的一个空座位上，之前还没有人注意到他没来上学。

12

冒险计划

放学后，在去往秘密基地的路上，欧内斯特跟吉恩讲了自己的父亲从战俘营逃脱的事。他为父亲感到无比骄傲，讲的时候还添油加醋地夸大了父亲的勇敢。吉恩听了，心里都有些嫉妒了。

"他肯定去英国了。"吉恩说，"在那里人们还是自由的。"

"也许吧……"

推开秘密基地的屋门，他俩吓了一跳，费尔南德竟和铃兰在里面。费尔南德正耷拉着脑袋，一脸愁容。

　　"费尔南德，你怎么没去上学？"欧内斯特惊讶地问。

　　"我不想戴那个黄色星星！"

　　"别担心，只有犹太人才要戴啊！"吉恩顺嘴说道。

　　铃兰向他投去难以置信的眼神。

　　"你傻了吗？他这不是在告诉你他是犹太人吗！"

　　吉恩愣住了。

　　"费尔南德……你是犹太人？"

　　"是又怎样？就算他是爪哇人，又有什么区别？"铃兰生气地反问道。

吉恩顿时觉得自己像个白痴，支吾着：

"嗯……没区别，当然没区别……我就随口一说。"

"赫平老师说，不戴星星的人会有大麻烦。"欧内斯特接过话茬儿，"如果我是你……"

费尔南德突然激动起来：

"够了！我在克勒芒的叔叔说，维希政府的警察会逮捕犹太人，然后交给德国人！我宁愿在他们来抓我之前逃走！反正他们别想抓到我！"

这时欧内斯特脑海中突然冒出个大胆的想法。

"对呀！离开这里真是个好主意……我们干脆去伦敦吧，我爸爸就在那儿！"

铃兰疑惑地看着他：

"什么？你爸爸在英国做什么？他不是在战俘营吗？"

"他逃出来了。"欧内斯特骄傲地回答。

费尔南德一下来了精神。

"我同意！我们去伦敦当自由的法国人吧，像狮子一样战斗！"

"好主意！"连一向谨慎的吉恩也表示赞同。

铃兰比男孩子们更理智些。

"你们简直蠢到家了！有想过怎么去吗？"

费尔南德挠了挠头，结结巴巴地说：

"嗯……我们会想出办法的。"

"得了吧！你们连去附近的农场都能迷路……"

大家一阵沉默。铃兰说得没错，他们确实有点儿高估自己了。

铃兰突然话锋一转：

"我们可以划着我爸爸的小船，悄悄地在晚上出发……"

男孩子们齐刷刷地看向她。

"你也去？"费尔南德问。

"只有我熟悉洋流，并且知道怎么驾船啊。以前我和爸爸一起横渡过好几次海峡……而且，我也想去伦敦看看！这又不是你们的专利！"

男孩们互相看了看，脑海里思绪万千。

"怎么样，去吗？"铃兰问。

"我去！"费尔南德情绪高涨地说。

"我也去！"欧内斯特同样坚定地说。

"你考虑过克洛蒂吗？"铃兰担心地问。

"她已经长大了，没有我，她也能照顾好自己。"

所有人的目光都转向了吉恩。

"嗯……不……对不起……我不能去。"吉恩低下头，结结巴巴地说。

"没事的，吉恩。"铃兰打断他，转头对另外两个人说，"你们需要带些衣服和食物，我来搞定船！"

觉得自己帮不上忙，吉恩有点儿尴尬，小声提议道：

"要是你们需要，我可以把英法词典给你们。"

"得了吧！你觉得征服者威廉¹去英国的时候还带着本词典吗？"铃兰没好气地呛了他一句。

---

1 诺曼底公爵，1066 年征服英格兰，自立为英王。

13

搜　查

放学后，克洛蒂和萝西想吃糖。她们手里的钱刚好够买几颗的。

于是，两人走进了蒂西耶杂货店。

"你们要买什么？"杂货店老板嘟囔着问道。

"我们想买糖。"克洛蒂回答。

这时，蒂西耶注意到了萝西胸前的黄色星星。

"嘿，嘿，嘿！你那个朋友，她现在不能进来！犹太人只能在下午三点到四点之间来买东西。没看到门上的告示吗？"

两个小女孩惊呆了。正在店里搬纸箱的保罗也愣住了，他不敢相信父亲会说出这样的话。

"她是犹太人又怎么了？"克洛蒂气得大喊。

"这是法律规定的，小姑娘！我可不想惹麻烦。"

萝西拉了拉克洛蒂的衣袖，小声对她说：

"算了，我们走吧。"

克洛蒂气呼呼地走出杂货店，砰地关上了门。杂货店内，保罗重重地放下手中的糖包，直直地盯着父亲，也表达着自己的不满。

克洛蒂越想越气，拉着萝西往自己家跑去。

"我们去告诉外公，让蒂西耶吃不了兜着走！"

可她万万没想到，一辆德国卡车正停在自家的院子里，士兵们进进出出。萝西看到这一幕，吓得脸色发白，转身就跑。

"我先回家了。明天见！"

克洛蒂没有回答。她冲进院子，却看见外公外婆正被枪指着站在门口。外婆一把将她紧紧地搂在怀里。

"都给我搜！动作快点儿！"[1]为首的德国军官对手下吼道。

然后他又转向外公，用生硬的法语威胁说：

---

1 原文为德语。

"你把收音机藏哪儿了？要是你窝藏了逃跑的'恐怖分子'罗伯特·邦胡尔，你会有大麻烦的！天大的麻烦！听明白了吗？"

听到父亲的名字，克洛蒂浑身一颤。这时，德国军官指了指鸽舍，两个士兵立刻冲过去捣毁了它。外公见状急得怒吼道：

"住手！别伤害我的鸽子！"

军官冷笑着说：

"你们切断了我们的电话线！我们也要断了你们的联络！"

原来他们怀疑抵抗组织在用鸽子传递消息。

这时欧内斯特也回到了家。看到这一幕，他握紧拳头，朝着离自己最近的一个士兵扑了过去：

"住手，你们这些浑蛋！"

可他哪是士兵的对手，一下就被推倒在地。那个士兵正要拿枪托打欧内斯特，幸好另一个士兵及时阻止了他。是奥托，莫尔托家的房客。

"别跟孩子一般见识！"[1]他说道。

外公赶忙扶起欧内斯特。不一会儿，两个士兵空着手从房子里出来了，看来他们一无所获。但是鸽舍已经被他们砸得稀烂，鸽子死的死、伤的伤。德国军官吹响了集合的哨声，然后一群人扬长而去，把惊魂未定的一家人留在了原地。

因为克洛蒂已经知道了父亲逃跑的事，外公就在晚餐时做了一些解释。

---

1 原文为德语。

"昨天收到信鸽送来的消息，你爸爸和同伴逃出来了，其他的我也不清楚。"

"他马上就会回来了，对吗？"克洛蒂激动地问。

"不会，回家对他来说太危险了。"

克洛蒂满脸失望。

"不过萝西戴星星的事，他知道了肯定会很生气的，是吧？"

"他也无能为力……我承认，戴星星这件事很不公平。但战争对很多人来说都是不公平的。"

那天晚上，在兄妹俩的房间里，欧内斯特激动地谈论着他们的爸爸、英国、自由法国以及抵抗组织。克洛蒂则一声不吭，专注地剪着小纸片……

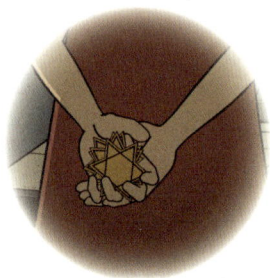

14

逮 捕

第二天上午，赫平老师在黑板上写下日期后，转过身刚想说什么，却一下子愣住了。他发现班上所有学生胸前都戴着黄色的星星——克洛蒂专门找了一盒别针来别星星。

他犹豫片刻后说：

"孩子们，我明白你们的意思，但你们这样会惹上麻烦的。你们最好不要戴犹太星。很多事情都变了……变得更糟了。"

孩子们很失落，但他们信任也尊重赫平老师，只好不情愿地摘下了星星。

放学后，欧内斯特和吉恩在秘密基地与费尔南德和铃兰会合。费尔南德正气得满脸通红。原来他在村里碰到了杜兰德，杜兰德以他没戴星星为由，威胁要去告发他。费尔南德骂杜兰德是德国人的走狗，朝他挥了挥拳头，然后跑掉了。

"既然他们在找我，我更是有了不得不离开的理由！"费尔南德咬牙说。

"别冲动！"铃兰赶紧拦住他，"我们还不能走，得等到下次涨潮。我查过了，还得好几个星期呢。"

欧内斯特和费尔南德满脸不情愿。铃兰再三强调了他们这次远行的危险。那天傍晚，四个人在秘密基地聊到很晚。当他们想起有宵禁时，天几乎已经全黑了，必须赶紧回家了。

吉恩一到家，就被堵在家门口等他的妈妈训斥了一顿：

"你看看几点了？我担心死了！你再这样就别出门了，明白吗？"

"可我什么也没做！我只是一直和朋友们在一起！"

他怒气冲冲地回了屋，嘴里嘟嘟囔囔地发着牢骚。原本害怕去伦敦的他，现在突然改了主意。今天的事让他下了决心：他要加入伙伴们的冒险！

第二天放学后，外婆让欧内斯特和克洛蒂去珍妮家买几个鸡蛋。刚进院子，他们就看见镇长正在劝说皮埃尔。

"皮埃尔，你该去德国服劳役了。"吉伯特先生说。

"我不去！"皮埃尔说。

"我知道你不愿意去，但你也要为其他人想想，三个去服役的人能换回一个战俘啊！"

皮埃尔一言不发，转身走进屋子，掀开地板上的活板门，取出了藏在下面的枪。弟弟们、妈妈、欧内斯特和克洛蒂看着他拿起枪，都紧张得屏住了呼吸。

"皮埃尔！"珍妮哭着抱住儿子，"你万一出了事，我该怎么办？"

皮埃尔把痛哭的妈妈搂在怀里。

"皮埃尔，我已经失去了丈夫，不能再失去儿

子了……"

"别担心，妈妈！我会没事的。"

加斯顿也哭了，马赛隆握紧拳头，紧盯着地面。

"我会回来的，弟弟们，我向你们保证！"

皮埃尔说完，拿着枪走出了屋子。

"我就算战死，也绝不会去给那些德国佬当苦力。"

皮埃尔绕到房子后面，朝着树林的方向跑去。吉伯特先生无奈地摇了摇头。

从那以后，鲁滨逊小队的成员们加快了远行计划的准备工作。每个男孩都在偷偷地收拾自己的行囊。欧内斯特把背包藏在了床底下。但克洛蒂可不傻，她清楚哥哥在瞒着她做一些事。一天晚上，她红着眼圈向哥哥说：

"我知道你要走了……就像皮埃尔那样。你又要丢下我了。"

"不会的，"欧内斯特撒谎道，"我……"

克洛蒂抽泣着，指了指床底下的背包。

欧内斯特在她旁边坐下，用胳膊搂住了她的肩膀。

"我必须得走，我的小克洛蒂，非走不可。"

他最终只挤出这句话。

这天在秘密基地，大家没有看到费尔南德。

"你们知道他去哪儿了吗？"铃兰担心地问。

"我碰到他了，"马赛隆回答，"他好像是去和奶奶道别了……"

"糟了！他会被抓的，德国人正在到处找他！"

铃兰、吉恩和欧内斯特拼命往费尔南德家跑，但他们还是去晚了，一辆德国卡车正停在费尔南德家门前。两个士兵押着费尔南德从屋里出来，强迫他上了卡车。

欧内斯特三人惊骇万分，却也无能为力。卡车开动的时候，他们在后面追着，喊着朋友的名字。费尔南德透过车窗看到了他们，艰难地挤出了个认命的微笑，朝他们挥了挥手。卡车越开越远，只留下满心绝望的三个人呆立在原地。

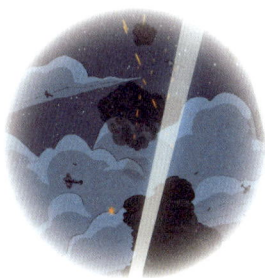

15

意外来客

　　1942年8月，"朱比利行动"[1]悄然展开了。盟军——主要是加拿大和英国的部队——试图在诺曼底的格朗维尔登陆。鲁滨逊小队的成员们对这场大规模的袭击毫不知情，恰好选在同一天晚上准备横渡英吉利海峡。

　　深夜，欧内斯特和吉恩在秘密基地焦急地等待着铃兰。突然，一阵脚步声引起了他们的警觉。

　　"铃兰，是你吗？"欧内斯特问道。

1　第二次世界大战期间，盟军在法国迪耶普发动的迪耶普战役的代号。

昏暗的光线中，出现了一个拿着武器的男人的身影——是皮埃尔。萝西紧紧抓着他的手，浑身发抖。

"大半夜的，你们在这儿干什么？"皮埃尔质问道。

"没……没什么。"欧内斯特紧张得结巴起来。

"好吧，我把萝西先交给你们，好好照顾她，我很快回来！"

说完，皮埃尔转身消失在夜色里。萝西跑过去，躲在欧内斯特身后。

"我好害怕。"她小声说。

"别怕，我们在这里很安全。"欧内斯特轻声安慰她。

可话音未落，附近突然传来剧烈的爆炸声——"朱比利行动"正式打响了，德国军队开始进行猛烈的反击。警报声、发动机的轰鸣声、炸弹和地雷的爆炸声、机枪的扫射声，无论在空中还是在海滩上，所有声音交织成震耳欲聋的喧嚣，仿佛永无休止。孩子们吓得魂不附体。

就在这时，铃兰气喘吁吁地跑来了。

"海岸上全是士兵！机枪正在到处扫射！"

他们现在别无选择，只能先躲起来，盼着战斗快点儿结束。后来他们才知道，"朱比利行动"对盟军来说是一场惨败，当晚有一千多名士兵牺牲，几千名士兵受伤或被俘。

炮火暂歇时，皮埃尔又出现在秘密基地，还带来一个让孩子们意想不到的人——道格拉斯中尉！

"你们好，孩子们，很高兴再次见到你们！"[1] 英

---

1 原文为英语。

国人笑着打招呼，随后郑重地向孩子们谢过此前的搭救之恩。

　　但这位飞行员重返秘密基地可不是为了叙旧，他与格朗维尔的抵抗组织接到了一项任务：将萝西送往英国——她的父母已经被德军逮捕了。

　　"来吧，萝西！你和中尉一起走。"皮埃尔命令道。

　　小女孩颤抖着站了起来。皮埃尔握住她的手。道格拉斯弯下腰，轻轻摘下了她胸前的星星，笑着说：

"我们走！"[1]

离开前，他邀请鲁滨逊小队的成员们一起去英国，但几个孩子都默默地低下了头——他们实在没有这个勇气。

"等天亮了再回家，现在太危险了！"皮埃尔在和道格拉斯、萝西离开之前叮嘱道。

黎明时分，欧内斯特终于回到了家，外公正黑着脸坐在屋外的椅子上等他，非常生气。

"你跑哪儿去了？看看都几点了？"

欧内斯特现在的心绪十分复杂——这一晚发生的事太多了！泪水顺着他的脸颊流了下来，他突然扑进外公的怀里放声大哭。外公的怒气瞬间消了。听到哭声，外婆和克洛蒂从屋里跑了出来。克洛蒂看到哥哥平安归来，总算松了口气。

就这样，欧内斯特、吉恩和铃兰放弃了他们的远行计划，不过他们也算是帮萝西踏上了逃亡之路。至于欧内斯特和克洛蒂，还有另外一个惊喜等着他们。

---

1 原文为英语。

　　第二天晚上吃晚餐的时候，欧内斯特突然听到院子里有脚步声。他提着煤油灯走了出去，心里暗暗期待是费尔南德回来了。最好是他从德国人手里逃了出来，特来给他报个平安。院子里确实有人，但不是他的阿尔萨斯朋友，而是他日思夜想的父亲！

　　欧内斯特扑进父亲怀里，父子俩紧紧拥抱在一起，激动得说不出话来。接着克洛蒂也探出头来。

　　愣了片刻后，她也扑进了父亲的怀里。

　　原来罗伯特是冒着很大的风险跑回来的，只为了能和孩子们短暂地相聚。因为还在被追捕，他不能久留。但这短暂的重逢仍然让欧内斯特和克洛蒂无比高兴，觉得将近三年的等待是值得的。

　　然而，费尔南德依然让大家担忧不已。自从他被捕后，就再也没了消息。面对种种不公，孩子们既伤心又愤怒，他们暗暗下定决心：抵抗从来不只是大人的事情，自己也要为反抗德军出一分力！

未完待续……

105

真实事件

探寻"悠悠长假"背后的历史

物资极度匮乏

第二次世界大战中，德国大肆掠夺法国等被占国的资源，导致这些国家的煤炭、皮革、布料、汽油、食物等全面紧缺，物价飞涨。因此故事中的外婆玛米丽为了让孩子们能吃饱，只能节衣缩食。

当时政府实施了严格的食物分配制度，民众需要凭配给票才能领取定量的食物。

艰难求生

为了维持生存，民众们开始自发地以物易物，同时也会使用替代品弥补物资短缺。如用烤橡子代替咖啡，用草木灰做肥皂，用牛胃当布袋，给鞋子钉木底，孩子们捕捉青蛙、蜗牛充当食物，等等。

突袭苏联

1941年6月，德国背弃《苏德互不侵犯条约》，突袭苏联。仅几个月时间，德军便占领了大片苏联领土。10月，德军逼近莫斯科，但是苏联军民顽强抵抗，誓死同德军血战到底，最终赢得了莫斯科保卫战的胜利，粉碎了德军不可战胜的神话。

战争全球化

1941年12月7日，日军偷袭位于珍珠港的美国海军基地。次日，美、英对日宣战。德、意也对美宣战。日本还向东南亚等地区发动了进攻。第二次世界大战达到最大规模。

在亚洲，中国牵制了大部分日本陆军，为世界反法西斯战争的胜利做出巨大贡献。中国战场是世界反法西斯战争的东方主战场。

珍珠港事件

1941年12月7日清晨，位于夏威夷群岛珍珠港的美国海军基地，沉浸在睡梦中的美军没有觉察到战争正在逼近。此时，由数艘航空母舰组成的日本攻击舰队已悄悄靠近珍珠港。7时55分，日军以海、空军突然袭击珍珠港，在两个小时内出动350余架飞机，炸弹像暴雨般倾泻。美军仓促应战。日本以很小的代价重创美国太平洋舰队，击沉击伤美军舰艇20余艘，炸毁美军飞机260多架，美军损失惨重。"珍珠港事件"极大地激发了美国人民的爱国热情。美国对日本宣战，加入反法西斯国家的行列。

犹太人与反犹太主义

　　犹太人古称"希伯来人"，亦称"以色列人"，公元前13世纪曾在巴勒斯坦居住，用希伯来语，前11世纪创犹太教。近代散居世界各地的犹太人，多已改用所在地的语言，并取得定居国国籍，如德籍、意籍、法籍（故事中的费尔南德和萝西就是法籍犹太人），但仍保持犹太教习俗。1933年纳粹党在德国执政后，大力推行反犹太主义，法西斯政权残酷迫害犹太人，犹太人的财产被无情地剥夺。在纳粹统治下，几百万犹太人惨遭杀害，成千上万的包括犹太科学家在内的优秀人士被迫流亡国外，其中就包括杰出的物理学家爱因斯坦。

黄色星标

从1942年起，德军规定法国占领区6岁以上的犹太人须在衣物上缝制黄色星标，用于快速识别犹太人的身份。

奥斯威辛集中营

第二次世界大战中，法西斯德国在波兰南部建立奥斯威辛集中营，用来屠杀犹太人和战俘。内设专供杀人用的毒气室、焚尸炉以及专为各种屠杀活动服务的"医学实验室"。据不完全统计，从1940年到1945年1月奥斯威辛解放时为止，有110万～150万人在此惨遭杀害。

国际义人

第二次世界大战期间，很多好心人冒险藏匿犹太人（尤其是儿童）以躲避抓捕，帮他们制作假证件，协助他们逃往中立国。这些冒着生命危险救人的义士们，后来被授予了"国际义人"的崇高称号。

Title #3: L'heure du choix – Les grandes grandes vacances © Bayard Editions, 2024
Texts: Michel Leydier
Illustrations: Emile Bravo
Simplified Chinese edition is arranged via Dakai-L'Agence.

著作权合同登记号　图字：01-2025-3257

图书在版编目（CIP）数据

悠悠长假 . 3，抉择时刻 /（法）米歇尔·莱迪耶
(Michel Leydier) 著 ；（法）埃米尔·布拉沃
(Emile Bravo) 绘 ；水冰译 . -- 北京 ：北京科学技术
出版社，2025. -- ISBN 978-7-5714-4767-0

Ⅰ . I565.84

中国国家版本馆 CIP 数据核字第 20250N35W2 号

策划编辑： 周孟瑶	**电　话：**	0086-10-66135495（总编室）
责任编辑： 李珊珊		0086-10-66113227（发行部）
责任校对： 贾　荣	**网　址：**	www.bkydw.cn
封面设计： 孟　娜	**印　刷：**	北京顶佳世纪印刷有限公司
图文制作： 木　木	**开　本：**	787 mm×1092 mm　1/32
责任印制： 李　茗	**字　数：**	56 千字
出 版 人： 曾庆宇	**印　张：**	3.75
出版发行： 北京科学技术出版社	**版　次：**	2025 年 9 月第 1 版
社　址： 北京西直门南大街 16 号	**印　次：**	2025 年 9 月第 1 次印刷
邮政编码： 100035		
ISBN 978-7-5714-4767-0		

定　价： 30.00 元